가자.

책 발자국 Level 0

가자

글 김미혜 그림 차선희

교육공동체벗

선생님과 학부모님께

이 그림책은 초기 문해력 교육을 위한 수준 평정 그림책입니다.
아이의 읽기 행동을 관찰하고 기록한 결과를 바탕으로 아이의 눈높이에 맞는
책을 골라 주세요. 아이 스스로 책을 선택할 수 있게 해 주시면 더 좋아요.
그리고 가정과 학교에서 아이와 함께 안내된 읽기를 해 주세요.
이 책에는 한글의 첫 번째 모음 'ㅏ'가 들어간 '가다'라는 낱말이 반복해서 나옵니다.
'아가', '강아지', '아빠'에도 'ㅏ'가 들어 있어요. 책 속 표현을 사용해 "○○에/에게/한테
가자.", "△△아/야, 가자."라는 문장을 만들어 볼 수 있어요. 책을 읽으면서
어디에 가고 싶은지, 누구와 가고 싶은지 이야기를 나누면서 아이가 '가다'라는
낱말을 더 많이 사용해 보고 생각도 확장할 수 있게 해 주세요.

아가야, 가자.

강아지야, 가자.

아빠한테 가자.

가자, 가자.

이 책은 _____의 것입니다.

가자

ⓒ 김미혜, 차선희, 2025

2025년 11월 3일 처음 펴냄

글쓴이 김미혜 | **그린이** 차선희 | **편집** 이진주 | **디자인** 더디앤씨 | **인쇄** 보명C&I | **제작** 세종PNP
펴낸이 김기언 | **펴낸곳** 교육공동체 벗 | **이사장** 오정오 | **사무국** 최승훈, 설원민, 공현
출판등록 제2011-000022호(2011년 1월 14일) | **주소** (03998) 서울시 마포구 월드컵북로7길 76-12 102호
전화 02-332-0712 | **전송** 0505-115-0712 | **홈페이지** communebut.com

ISBN 978-89-196-9 67700
ISBN 978-89-195-2(세트)

가자	BFL	0
	어절 수	9

사용 연령
6세 이상

값 2,300원

ISBN 978-89-6880-196-9
ISBN 978-89-6880-195-2(세트)